D1096332

ULTIMATUM

ALTER EGO

Une série créée par

Pierre-Paul **Renders**

Scénario

Denis **Lapière** & Pierre-Paul **Renders**

Direction artistique (personnages, storyboards)

Mathieu **Reynès**

Dessin des personnages

Mathieu **Reynès**

Dessin des décors

Benjamin **Benéteau**

Couleurs

Benoît **Bekaert**

avec l'aide de Sébastien **Hombel**

Couverture

Mathieu **Reynès**

Graphisme de couverture, logotype

Franck **Achard**

WWW.ALTEREGO.DUPUIS.COM

Merci à mes parents et Jessica pour leur indéfectible soutien, à Nadine, à Diane, à Edouard pour la Bentiq, salut à André et à tous les guests de l'Appartelier Plattesteen, d'un jour ou de toujours ! Benjamin

PREMIÈRE ÉDITION

Dépôt légal : septembre 2012 — D.2012/0089/133
ISBN 978-2-8001-5355-1

Imprimé en Belgique.

Cet album a été imprimé sur papier issu de forêts gérées de manière durable et équitable.

www.dupuis.com

SANTIAGO DE CUBA, 2 HEURES APRÈS LA MORT DE FOUAD.

RROOOAAAA
SSHHHRR

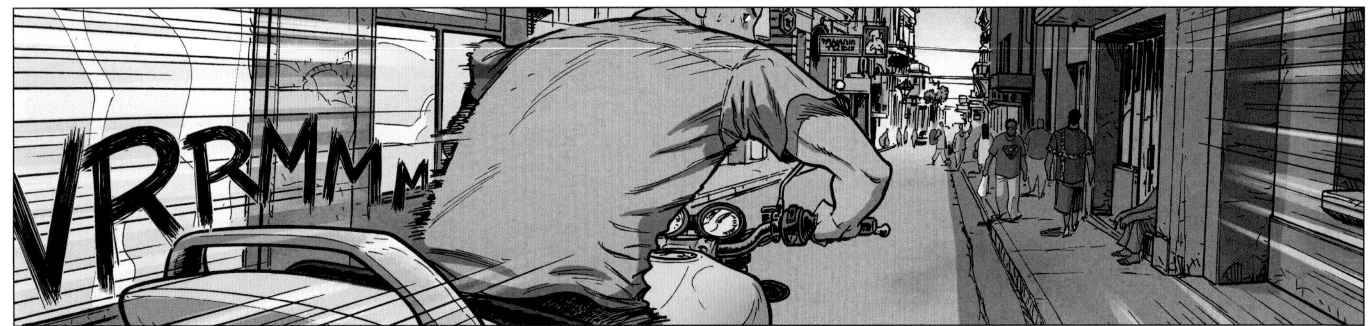
VRRMMMM

VRRRRR

SSHHHHRRRRR

?!
VRRRRRRRR

VROOP

BOM

WASHINGTON, MAISON BLANCHE, AU MÊME MOMENT.
... CE FILS DE PUTE A ÉTÉ REPÉRÉ ! WOODROW M'AFFIRME QUE L'AFFAIRE SERA RÉGLÉE INCESSAMMENT.
J'INSISTE POUR QUE VOUS LE CAPTURIEZ SANS CASSE...

BIEN SÛR... IL NE FAUDRAIT PAS ABÎMER VOTRE PRÉCIEUX MÉDIUM !

JE SAIS QUE VOUS AVEZ TOUTES LES RAISONS DE LUI EN VOULOIR PERSONNELLE-MENT, MAIS...
IL NE S'AGIT PAS DE ÇA. CE TRAÎTRE CONSTI-TUE UNE ÉNORME MENACE ! IL EN SAIT BEAUCOUP TROP !

JOHANNESBURG, IMMEUBLE HWC
IL EST DÉSORIENTÉ... TRAUMATISÉ, SUITE AU DRAME QU'ILS ONT VÉCU, LUI ET SON FRÈRE. MAIS JE ME FAIS FORT DE LE RAMENER À LA RAISON.

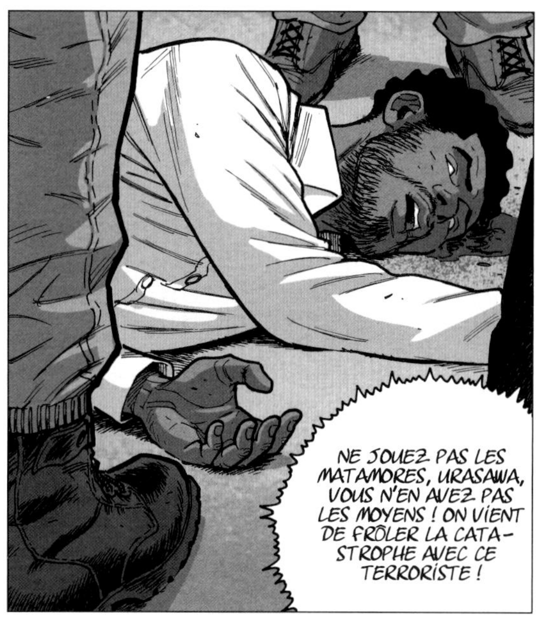
NE JOUEZ PAS LES MATAMORES, URASAWA, VOUS N'EN AVEZ PAS LES MOYENS ! ON VIENT DE FRÔLER LA CATA-STROPHE AVEC CE TERRORISTE !

PAR LA FAUTE DES MANIGANCES DE VOTRE WOODROW ! NE L'OUBLIEZ PAS !
C'EST BON ...! OÙ EN ÊTES-VOUS AVEC CETTE AFFAIRE ?

POLICE
POLICE
TOUT EST SOUS CONTRÔLE. COMME JE L'AI DIT À WOODROW, AUCUNE RÉVÉLATION N'A FILTRÉ, ET LA PRESSE ADHÈRE SANS PROBLÈME À LA THÈSE DU DÉSÉQUILIBRÉ FRUSTRÉ.

ET SUR CE MYSTÉRIEUX DÉTENTEUR DE LA CONFESSION VIDÉO DU DR ROCHANT ? LA VRAIE MENACE VIENT DE LÀ, SI CE DOCUMENT EST DIFFUSÉ...
C'EST MON URGENCE PRIORITAIRE.

JE SUIS QUASI CERTAIN QUE CE DOCUMENT PROVIENT DE CAMILLE, LA FILLE DE SUZANNE.
ELLE SERAIT ALLIÉE AVEC CES TERRORISTES ?

IL ME PARAÎT HAUTEMENT IMPROBABLE QU'ELLE SOIT À L'INITIATIVE DE LA RÉVÉLATION.
MAIS JE SUIS INQUIET POUR ELLE...

... ELLE POURRAIT ÊTRE TOMBÉE AUX MAINS DE CE GROUPE D'ACTIVISTES. J'AI DILIGENTÉ UNE ENQUÊTE POUR LA RETROUVER À SINGAPOUR.
J'ATTENDS LES RÉSULTATS SOUS PEU...

BERMUDES, AU MÊME MOMENT.

C'EST EN MON HONNEUR, CES NOUVELLES PROTECTIONS... ?

SI JE ME SUIS LIVRÉ, CE N'EST PAS POUR M'ÉVADER À NOUVEAU...
MMMH, JE N'EN DOUTE PAS...

NON, CE SONT PLUTÔT DES MESURES PRÉVENTIVES, POUR ... DISONS, EMPÊCHER LES INTRUS DE PÉNÉTRER DANS LE DOMAINE...

BIEN SÛR, BIEN SÛR...
BONJOUR...

VOUS ÊTES NOUVEAU ICI ?
... BIENVENUE !

JE M'APPELLE ZELIA !
ET MOI, MARINA... ON NE S'EST PAS DÉJÀ VU QUELQUE PART... ?
EUH... BONJOUR.
05

BRUXELLES, QUARTIER DES MAROLLES, 3 HEURES APRÈS LA MORT DE FOUAD.

BIP !

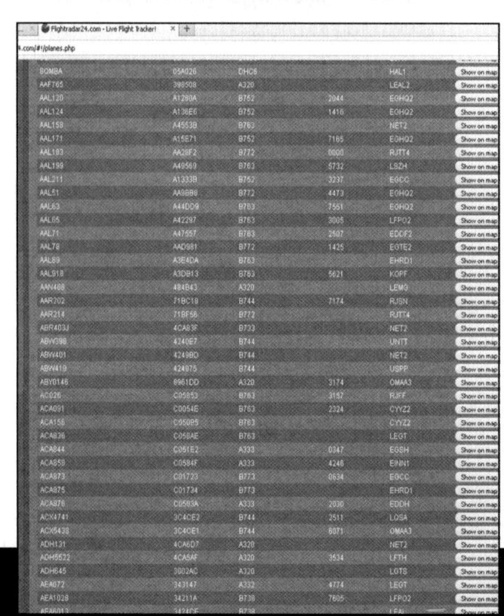

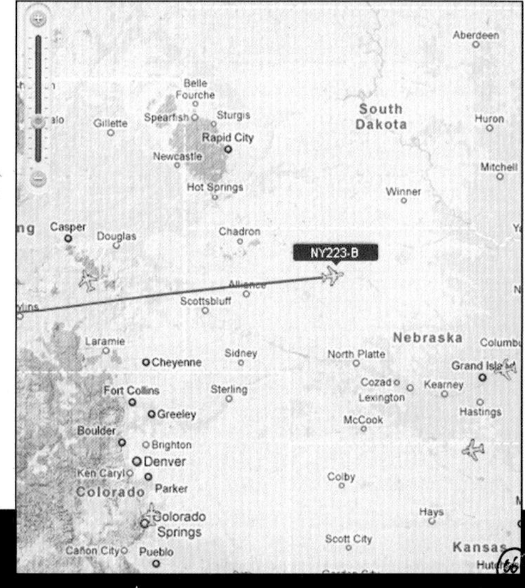
NY223-B
South Dakota
Nebraska
Colorado
Belle Fourche
Spearfish
Sturgis
Rapid City
Gillette
Newcastle
Hot Springs
Casper
Douglas
Chadron
Alliance
Scottsbluff
Laramie
Cheyenne
Sidney
Fort Collins
Greeley
Sterling
Boulder
Brighton
Denver
Parker
Colorado Springs
Pueblo
Cañon City
Aberdeen
Huron
Mitchell
Winner
North Platte
Grand Island
Cozad
Kearney
Lexington
Hastings
McCook
Colby
Hays
Scott City
Kansas

SAIS-TU COMBIEN D'ÊTRES HUMAINS SONT CONÇUS À L'INSTANT OÙ JE TE PARLE, MA PUCE ?

SELON LES STATISTIQUES, IL NAÎT DE NOS JOURS UN PEU PLUS DE QUATRE BÉBÉS PAR SECONDE. EN TENANT COMPTE DES FÉCONDATIONS QUI N'ABOUTISSENT PAS, LE NOMBRE DE CONCEPTIONS À LA SECONDE PEUT S'ESTIMER À SIX OU SEPT. À CHAQUE SECONDE QUI PASSE, SIX SPERMATOZOÏDES FÉCONDENT LEUR OVULE...

À L'ÉPOQUE DE MA NAISSANCE, CE CHIFFRE ÉTAIT MOINS ÉLEVÉ, MAIS, AVEC LA CROISSANCE DÉMOGRAPHIQUE, IL NE CESSE D'AUGMENTER...

VOL DIRECT LOS ANGELES - BRUXELLES
NON, NON, JE SUIS CHOQUÉE MAIS JE VAIS BIEN.

IL NE M'A INJECTÉ QUE DU SÉRUM PHYSIOLOGIQUE, TOUT À FAIT INOFFENSIF... JE N'AI COURU AUCUN RÉEL DANGER.

ABATTRE LE TERRORISTE ÉTAIT LA MEILLEURE SOLUTION ?
ÉCOUTEZ, JE... JE PENSE QUE OUI, PROBABLEMENT. MAIS...
TVS
ROM JOHANNESBURG - MIRANDA

... CE N'ÉTAIT SANS DOUTE PAS UN MAUVAIS GARÇON. IL ÉTAIT SIMPLEMENT TRÈS PERTURBÉ ET JE NE PEUX M'EMPÊCHER DE PENSER À SA FAMILLE, SES PROCHES.

TOUTE VIE HUMAINE EST PRÉCIEUSE...
CE SERA TOUJOURS MON COMBAT.
POLICE

JE NE PEUX DONC ME RÉJOUIR DE CETTE ISSUE.

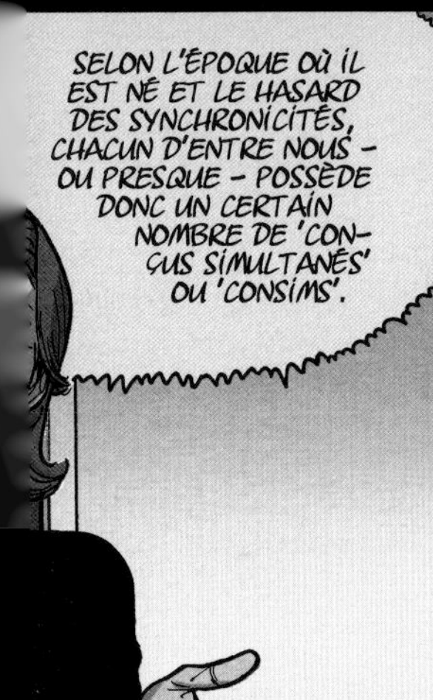
SELON L'ÉPOQUE OÙ IL EST NÉ ET LE HASARD DES SYNCHRONICITÉS, CHACUN D'ENTRE NOUS - OU PRESQUE - POSSÈDE DONC UN CERTAIN NOMBRE DE 'CONÇUS SIMULTANÉS' OU 'CONSIMS'.

AU SIMORG, NOUS AVONS DÉCOUVERT ET PROUVÉ QUE LES 'CONSIMS' FORMENT UNE ENTITÉ BIOÉNERGÉTIQUE QUI PARTAGE UN MÊME CAPITAL VITAL. LES CONSIMS SONT CONNECTÉS ENTRE EUX ET DÉPENDENT LES UNS DES AUTRES POUR LEUR SANTÉ ET LEUR VIE !

CETTE INCROYABLE DÉCOUVERTE EST À LA FOIS MA PLUS GRANDE FIERTÉ ET MA PLUS LOURDE CROIX...

LOS ANGELES, GOOD SAMARITAN HOSPITAL, 7 HEURES APRÈS LA MORT DE FOUAD.
... MÊME À BOUT PORTANT, LA BALLE A ÉTÉ GRANDEMENT AMORTIE MAIS A TRANSPERCÉ AU NIVEAU D'UNE COUTURE.

LA PLAIE AU THORAX EST VILAINE MAIS SANS GRAVITÉ. SANS SON GILET PARE-BALLES, IL NE SERAIT PLUS DE CE MONDE...

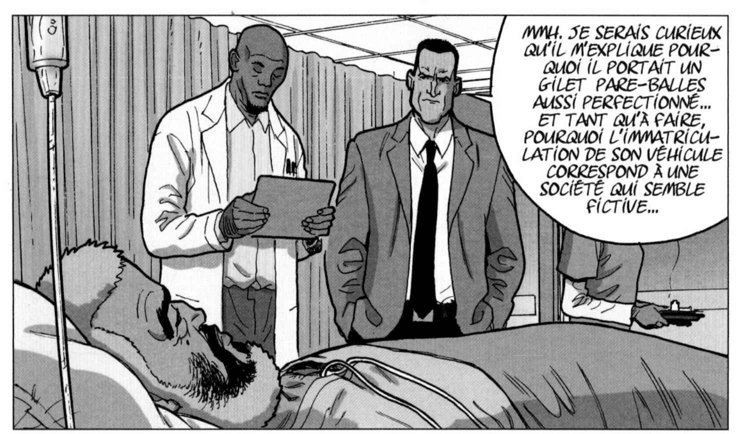
MMH. JE SERAIS CURIEUX QU'IL M'EXPLIQUE POURQUOI IL PORTAIT UN GILET PARE-BALLES AUSSI PERFECTIONNÉ... ET TANT QU'À FAIRE, POURQUOI L'IMMATRICULATION DE SON VÉHICULE CORRESPOND À UNE SOCIÉTÉ QUI SEMBLE FICTIVE...

MAIS POUR COMMENCER, IL ME FAUT SON IDENTITÉ.
IL N'AVAIT RIEN SUR LUI. NOUS L'AVONS ADMIS EN URGENCE, SOUS X ! ...

JE VOUS L'AI DIT, IL EST ENCORE BEAUCOUP TROP FAIBLE.
NON, JE...

REPOSEZ-VOUS....
C'EST UN ORDRE.

DÉSOLÉ, INSPECTEUR, IL FAUT LE LAISSER.
QUAND POURRONS-NOUS LE TRANSFÉRER À L'HÔPITAL PÉNITENTIAIRE, DOCTEUR ?

PAS AVANT DEUX-TROIS JOURS. SON CORPS N'EST PLUS TOUT JEUNE, VOUS SAVEZ....

JOHANNESBURG, IMMEUBLE HWC,
9 HEURES APRÈS LA MORT DE FOUAD.
... ALORS ?

ON PROGRESSE, MONSIEUR.

EN REMONTANT LA CONNEXION UTILISÉE SUR L'ORDINATEUR DE MRS GRYNSON, ON A DÉJÀ DÉJOUÉ 4 LEURRES. MAIS ÇA A ÉTÉ HYPER PROTÉGÉ, ON N'EST PAS SORTI DE L'AUBERGE...

ET CONCERNANT L'ÉMETTEUR QUE FOUAD CHAÏB PORTAIT SUR LUI ?
ON BUTE SUR DES BATTERIES DE SÉCURITÉ PLACÉES AUTOUR DE LA PUCE SIM.

BON SANG ! COMBIEN DE TEMPS AVANT D'AVOIR UNE PISTE ?
HONNÊTE-MENT ?
IMPOSSIBLE À PRÉVOIR, MONSIEUR.

SANTIAGO DE CUBA, PARQUE CESPEDES.
... VOUS POUVEZ M'EMMENER ?
SÍ SEÑOR.

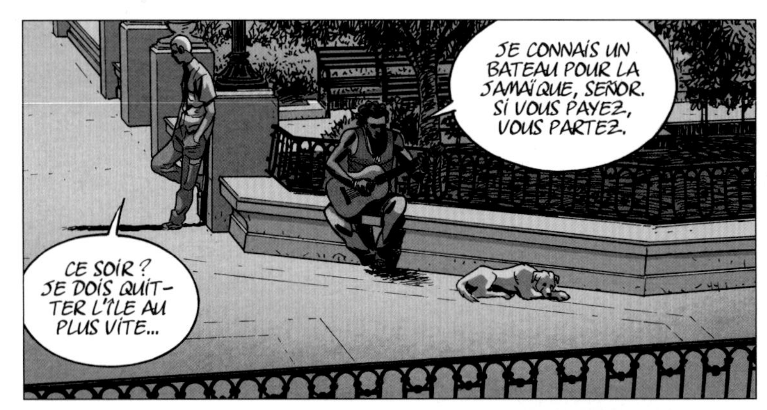
JE CONNAÍS UN BATEAU POUR LA JAMAÏQUE, SEÑOR. SI VOUS PAYEZ, VOUS PARTEZ.
CE SOIR ? JE DOIS QUITTER L'ÎLE AU PLUS VITE...

COMMENT IL S'APPELLE, CE BATEAU ?
"ADELITA". IL APPARTIENT À UN MEXICAIN. C'EST UN PETIT BATEAU MAIS IL EST TRÈS BIEN POUR ALLER EN JAMAÏQUE.

D'ACCORD, ON Y VA.
HEM, ... SEÑOR...

QUOI ENCORE ?
IL FAUT ME PAYER MAINTENANT. TU COMPRENDS ? TU ME PAIES ET MOI JE PAIE LE BATEAU.

JE TE PAIERAI QUAND JE VERRAI LE BATEAU.
NON, NON, PAYER MAINTENANT !
VITE !

QUOI ?! QU'EST-CE QUE...

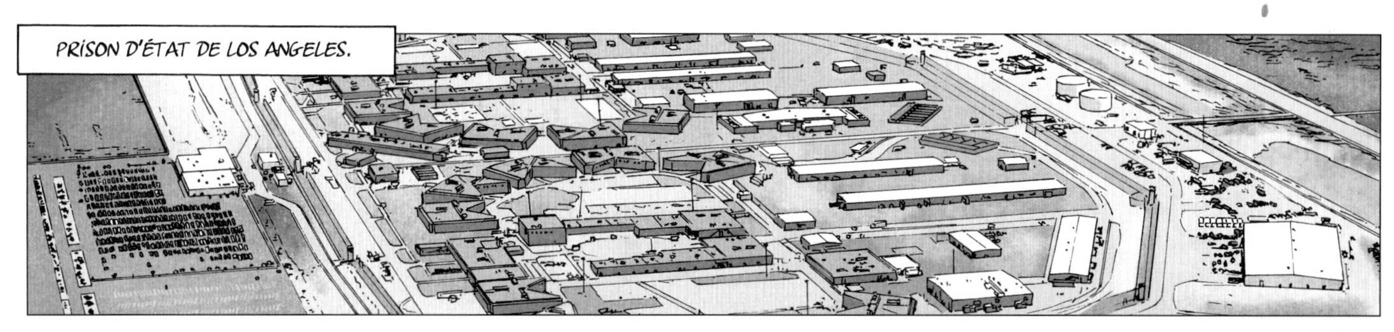
PRISON D'ÉTAT DE LOS ANGELES.

CDC
PRISONER

... C'EST LÀ !
ET TIENS-TOI À CARREAU, COMPRIS ?

HO, L'NOUVEAU ! C'EST TOI, BRAM MANGOLD ?

C'EST MOI, POURQUOI ?
TU ME VEUX QUOI ?
JUST' VOIR BIEN EN FACE LA TRONCHE D'UN GARS QUI SERA MORT AVANT D'MAIN MATIN...
HÉ, HÉ ...
PRISONER

BRUXELLES, GARE DE L'AÉROPORT DE ZAVENTEM.
15 HEURES APRÈS LA MORT DE FOUAD.
NON, GARDE-LE, TU ES PLUS EXPOSÉE QUE MOI.
C'EST FLIPPANT...

TU DIS QUE, SANS CE BRACELET, S'ILS ACTIVENT MON TRACEUR... ?
... ILS TE LOCALISENT ILLICO.

... ET, CROIS-MOI, ILS NE VONT PAS TARDER À T'IDENTIFIER. MOI, TANT QUE JE RESTE AVEC TOI, JE BÉNÉFICIE DE L'EFFET DE PARASITAGE...
MAIS VIVEMENT QU'ON DÉNONCE TOUT ÇA !...
AH, VOILÀ LE TRAIN !

PAS D'ACCORD, MIEP.

... IL NOUS MANQUE DES PREUVES, CERTAINS ÉLÉMENTS ! POUR CONVAINCRE, IL FAUT MONTER UN DOSSIER BÉTON, EXPLICATIF, AVEC DES MISES EN GARDE... ! C'EST CE QUE MA MÈRE AURAIT...
BON SANG, CAMILLE ! ILS ONT TUÉ FOUAD ! ILS N'HÉSITERONT PAS AVEC NOUS ! ON N'A PAS LE TEMPS DE FINASSER !

ON BALANCE TOUT EN L'ÉTAT ET LES MÉDIAS FERONT LEUR BOULOT ! ILS ONT L'HABITUDE, DEPUIS WIKILEAKS.
JE CROIS QU'ON PEUT FAIRE MIEUX, MIEP. BEAUCOUP MIEUX !

JOHANNESBURG, HÔTEL THE GRACE IN ROSEBANK,
18 HEURES APRÈS LA MORT DE FOUAD.

OUI, BILL, DANS CET HÔTEL, EN ATTENDANT DE POUVOIR RÉINTÉGRER MES...

NON, NON, BILL, PAS D'INQUIÉTUDE, KAÏJI A TOUT SOUS CONTRÔLE, NI LA FONDATION, NI VOTRE RÉPUTATION NE COURENT LE MOINDRE RISQUE...
JE VOUS EN PRIE, MERCI DE VOTRE CONFIANCE, BILL.... AU REVOIR...

MON DIEU, QUEL CIRQUE... ! JE...

BIDILIP !
Suzanne Rochant souhaite entrer en contact avec vous.
Accepter
Refuser
...?!

ALLÔ ?
ÊTES-VOUS SEULE, MADAME GRYNSON ?
EUH... OUI...
POUVEZ-VOUS FAIRE UN PANORAMIQUE DANS LA CHAMBRE POUR ME LE PROUVER ?

VOILÀ...
MERCI. DÉSOLÉE DE VOUS IMPOSER CELA, MADAME. JE SUIS CAMILLE ROCHANT, LA FILLE DE SUZANNE.

VOUS...?
NE M'INTERROMPEZ PAS, JE N'AI PAS BEAUCOUP DE TEMPS.
TOUT CE QUE FOUAD CHAÏB VOUS A DIT EST VRAI. J'EN AI LES PREUVES.

JE VOUS DEMANDE DE LANCER ILLICO UNE ENQUÊTE SUR CE QUI SE PASSE DANS CETTE RÉSIDENCE QU'URASAWA POSSÈDE DANS LES BERMUDES ET DE CONVOQUER UNE CONFÉRENCE DE PRESSE POUR DÉVOILER OFFICIELLEMENT LA DÉCOUVERTE SCIENTIFIQUE DU SIMORG.

JE VOUS DONNE 48 HEURES POUR FAIRE CES RÉVÉLATIONS. SINON, C'EST MOI QUI LES FERAI. TOUTES NOS PREUVES, LA CONFESSION DE MA MÈRE, VOS AVEUX À FOUAD ET BIEN D'AUTRES SURPRISES, TOUT SERA BALANCÉ SUR LE NET ET VOUS NE VOUS EN REMETTREZ PAS !
13

QUARTIER GÉNÉRAL DE LA NSA, FORT MEADE, MARYLAND, AU MÊME MOMENT.
JE SUIS DÉSOLÉ, JASON.

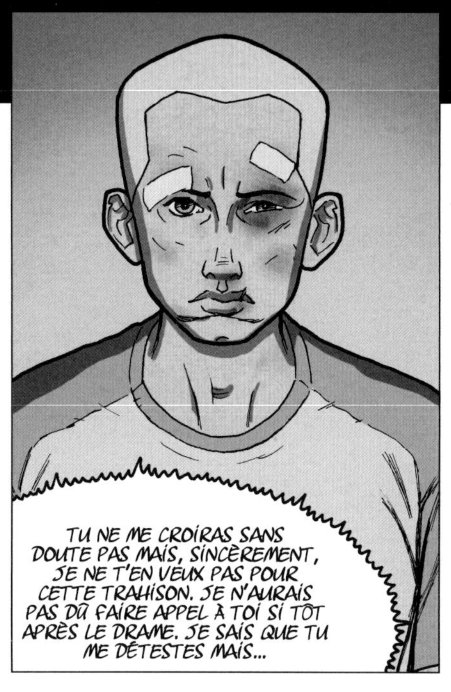

TU NE ME CROIRAS SANS DOUTE PAS MAIS, SINCÈREMENT, JE NE T'EN VEUX PAS POUR CETTE TRAHISON. JE N'AURAIS PAS DÛ FAIRE APPEL À TOI SI TÔT APRÈS LE DRAME. JE SAIS QUE TU ME DÉTESTES MAIS...

ON CROIT RÊVER... !
VOUS VOULEZ PAS QU'ON LUI FASSE UN GROS CÂLIN, TANT QU'ON Y EST ?!

... HMM... MONSIEUR, DOIS-JE VOUS RAPPELER QUE...?
J'AURAIS AIMÉ TE PARLER SEUL À SEUL MAIS, DÉSORMAIS NOS AMIS SE MÉFIENT DE TOI ET NOUS IMPOSENT LA TRANSPARENCE TOTALE.
SANS BLAGUE...

OUAIS, OK, OK !
JASON, JE PEUX IMAGINER QU'IL T'IMPORTE PEU QUE LE TESTAMENT FILMÉ DE SUZANNE SOIT DIFFUSÉ DANS L'OPINION. À MON AVIS, UNE PARTIE DE TOI LE SOUHAITE MÊME...

MAIS COMME JE TE L'AI EXPLIQUÉ, JE CRAINS POUR LA VIE DE CAMILLE.
ELLE EST INTROUVABLE. MÊME SON TRACEUR EST INOPÉRANT.
14

NOUS POURRIONS AGIR AVEC LE SPECTROGRAPHE EN UTILISANT SES ÉVENTUELS ALTER EGO MAIS LEURS IDENTITÉS ONT ÉTÉ EFFACÉES DE LA BASE DE DONNÉES, PAR SUZANNE ELLE-MÊME, SEMBLE-T-IL.

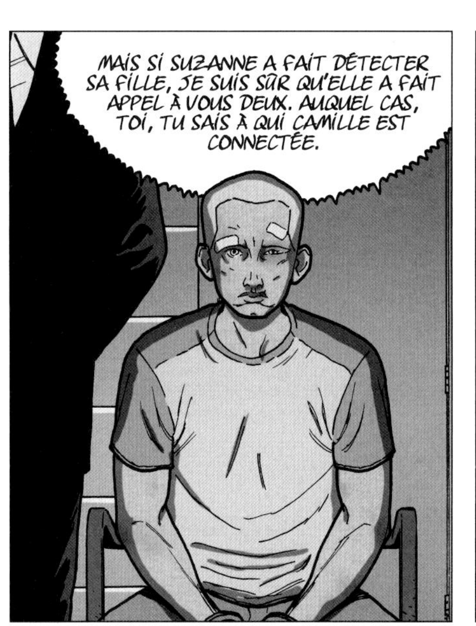
MAIS SI SUZANNE A FAIT DÉTECTER SA FILLE, JE SUIS SÛR QU'ELLE A FAIT APPEL À VOUS DEUX. AUQUEL CAS, TOI, TU SAIS À QUI CAMILLE EST CONNECTÉE.

LE TEMPS PRESSE, JE VEUX LA RETROUVER AVANT QUE CES TERRORISTES NE COMMETTENT L'IRRÉPARABLE. ES-TU PRÊT À NOUS AIDER ?
... QU'EST-CE QUE J'Y GAGNE ?

RESTER EN VIE, ÇA T'INTÉRESSE ?
MONSIEUR...

QUE DEMANDES-TU, JASON ?

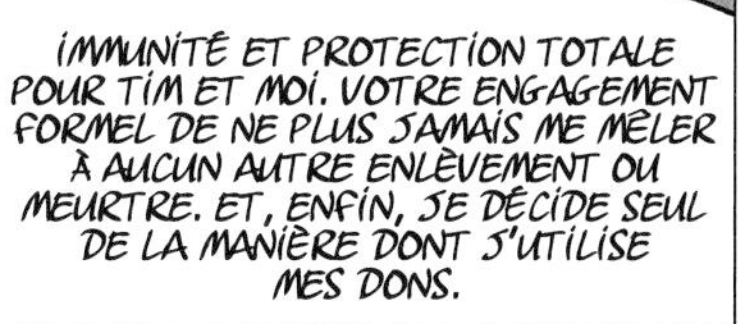
IMMUNITÉ ET PROTECTION TOTALE POUR TIM ET MOI. VOTRE ENGAGEMENT FORMEL DE NE PLUS JAMAIS ME MÊLER À AUCUN AUTRE ENLÈVEMENT OU MEURTRE. ET, ENFIN, JE DÉCIDE SEUL DE LA MANIÈRE DONT J'UTILISE MES DONS.

TU AS MA PAROLE...
ALORS, CAMILLE POSSÈDE UN OU PLUSIEURS ALTER EGO ?

NOUS SERONS CONTRAINTS DE LES "RECRUTER" TRÈS RAPIDEMENT. MES HOMMES S'EN CHARGERONT. MAIS ILS SERONT TRAITÉS AVEC DOUCEUR ET TRANSFÉRÉS IMMÉDIATEMENT À LA RÉSIDENCE. TOUT CONFORT, COMME VOUS LE SAVEZ.
QU'ALLEZ-VOUS LEUR FAIRE ?

ET TEMPORAIREMENT BIEN SÛR.
DÈS QUE NOUS AURONS PU LOCALISER CAMILLE, ILS RETROUVERONT LEUR VIE NORMALE, SOUS PROTECTION WINGUARD MAIS EN LIBERTÉ TOTALE....

LOS ANGELES, PRISON D'ÉTAT.

HA
HA
HA
HA HA
HA

TUNK!

VLAM!

T'SAIS C'MMENT IL S'APPELLE, L'GARD'-CHEF D'LA SECTION ICI ? DUKAKIS. EUGENE DUKAKIS... TU PIGES ?... Y M'AIME BIEN, DUKAKIS. Y M'A D'MANDÉ D'M'OCCUPER D'TOI. ALORS, J'M'OCCUPE...

BOMBAY, SIÈGE DE LA WW2A.
BIEN SÛR QUE JE COMPTE M'ÉCLATER CE SOIR ! M'EXPLOSER, MÊME !
TU Y SERAS, CHEZ DIMITRI, YASHNA ?
LE SI BEAU DIM !... HA HA !

YASHNA !?!

ATTENTION !... ELLE...

QU'EST-CE QUI...?
JE NE SAIS PAS, J'AI... TOUT S'EST MIS À... TOURNER...
16

BRUXELLES, QUARTIER DES MAROLLES.

... ON DOIT SE TENIR PRÊTES À DÉCAMPER À TOUT MOMENT.

H-47

KAÏJI L'AVAIT CROISÉE DANS UN GALA DE BIENFAISANCE ET AVAIT DÉCIDÉ DE LUI CONFIER LE SECRET DU SIMORG. FASCINÉE, MIRANDA DEMANDA À CE QU'ON SOUMETTE PATRICIA AU SPECTROGRAPHE ET LE DIAGNOSTIC FUT SANS APPEL...

SON AURA NE PRÉSENTAIT PLUS AUCUN TENTACULE MAIS DEUX VORTEX TRÈS NETS, RÉSIDUS ÉNERGÉTIQUES D'ANCIENNES CONNEXIONS.

MAIS NOUS N'EN SOMMES PAS LÀ. SAVOIR QUE CAMILLE N'EST PAS VICTIME MAIS COMPLICE DE CE CHAÏB ET DE SA BANDE CHANGE COMPLÈTEMENT LA DONNE.
IL RESTE UNE CARTE À JOUER...

... ZUL ?... MIRANDA GRYNSON A REÇU UN APPEL VISIO IL Y A UNE HEURE, AU NOM DE SUZANNE ROCHANT. TÂCHEZ D'EN IDENTIFIER L'ORIGINE. CELA DEVRAIT FAIRE PROGRESSER VOS RECHERCHES...

... OUI... JE PENSE QUE CEUX QUE NOUS TRAQUONS VIENNENT DE COMMETTRE UNE ERREUR...
QUE COMPTES-TU FAIRE ?...

LOCALISER CAMILLE ET METTRE LA MAIN DESSUS !... MAIS SANS Y MÊLER CES CRÉTINS DE LA NSA.
ET TU COMPTES LA RETROUVER EN MOINS DE 48 HEURES... ?

48 HEURES, POUR MOI, C'EST L'ÉTERNITÉ...

PATRICIA ÉTAIT MOURANTE PARCE QUE, QUELQUE PART SUR LA PLANÈTE, DEUX ANONYMES AVAIENT ÉTÉ EMPORTÉS PAR LA FAIM, LA GUERRE, LA MALADIE OU UN ACCIDENT...

BOULEVERSÉE, MIRANDA DÉCIDA DE SOUTENIR NOS RECHERCHES. HABITÉE PAR UN IDÉAL ALTRUISTE, ELLE EST, COMME MOI, PERSUADÉE QUE LA DÉCOUVERTE APPARTIENT À L'HUMANITÉ ET DOIT ÊTRE EXPLOITÉE POUR LE PLUS GRAND BIEN DE TOUS.

MAIS LA RÉVÉLATION ALLAIT CRÉER UNE FORMIDABLE DEMANDE QUI, INÉVITABLEMENT, DONNERAIT LIEU AUX PIRES DÉRIVES. COMMENT DIVULGUER NOTRE DÉCOUVERTE SANS PROVOQUER UN CHAOS MONSTRUEUX ?

H-46

QUARTIER GÉNÉRAL DE LA NSA,
FORT MEADE, MARYLAND.
...PARKER ET DI LUCCA, VOUS VOUS CHARGEZ DU DÉNOMMÉ BRAM MANGOLD. SELON MES INFOS, IL VIENT D'ÊTRE INTERNÉ À LA PRISON D'ÉTAT DE L.A. VOUS ME LE TIREZ DE LÀ.

SCHWARZKOPF ET BRENNER, VOUS ME RETOURNEZ TOUT BOMBAY POUR DÉGOTTER CETTE YASHNA SHANKARI.

VOUS AVEZ 15 HEURES POUR LES AMENER TOUS LES DEUX À HAMILTON, BERMUDES. EXÉCUTION !

H-44
PRISON D'ÉTAT DE LOS ANGELES.
22 HEURES APRÈS LA MORT DE FOUAD.
TRANSFERT IMMÉDIAT, RAISON D'ÉTAT, JE VEUX BIEN TOUT CE QUE VOUS VOULEZ, MOI, LES GARS...

... L'ENNUI, C'EST QUE, MALGRÉ L'HEURE MATINALE, VOUS ARRIVEZ UN PEU TARD...

... IL SEMBLE QUE VOTRE AMI MANGOLD N'AIT PAS BIEN SUPPORTÉ SA PREMIÈRE NUIT CHEZ NOUS...

IL A PRÉFÉRÉ SE FAIRE LA BELLE À SA MANIÈRE...

BOMBAY, NAVÍ MUMBAÏ.
23 HEURES APRÈS LA MORT DE FOUAD.
... NON... J'AI SONNÉ PLUSIEURS FOIS ET PAS DE RÉPONSE... ET SON PORTABLE EST MUET.

... MAIS BON, AVEC ELLE, ÇA NE VEUT RIEN DIRE. ELLE L'OUBLIE TOUJOURS PARTOUT.

OUI, T'AS RAISON. ELLE A DÛ ZAPPER ET PRENDRE UN TAXI...

... VOILÀ, SI ÇA SE TROUVE, ELLE EST DÉJÀ LÀ-BAS... OK, ON SE RETROUVE CHEZ DIM, À TOUT DE SUITE...

BRUXELLES, QUARTIER DES MAROLLES.
21

BRUXELLES, GARE DU MIDI.

...C'EST TOUT PROCHE. PAS LA PEINE DE CHERCHER UN TAXI.

Maps
ON PEUT Y ÊTRE À PIED DANS LES DIX MINUTES.

LOS ANGELES, GOOD SAMARITAN HOSPITAL.
... J'AI PEUR D'AVOIR FAIT LE MAUVAIS CHOIX.
QUANT AU MYSTÉRIEUX CORRESPONDANT ANONYME PRÉTENDANT FAIRE DES RÉVÉLATIONS SUR LE PROFESSEUR ROCHANT ET KAÏJI URASAWA, IL NE S'EST TOUJOURS PAS MONTRÉ À JOHANNESBURG...

... À LA HWC, ON PARLE DE CANULAR ET DE MONTAGE GROSSIER.
CAMILLE... ! DANS QUEL GUÊPIER VAS-TU TE FOURRER ?
FAITS DIVERS À PRÉSENT. UN DÉTENU A ENCORE ÉTÉ RETROUVÉ PENDU À LA PRISON D'ÉTAT. C'EST LA DEUXIÈME FOIS EN UN MOIS QU'UN PRISONNIER SE SUICIDE.

DE QUOI ALIMENTER LE DÉBAT SUR LES CONDITIONS DE DÉTENTION À L'ÉTABLISSEMENT DE LANCASTER QUI EST, COMME ON LE SAIT, TOTALEMENT SURPEUPLÉ ...
IL S'AGIT CETTE FOIS D'UN JEUNE HOMME DE VINGT ANS, BRAM MANGOLD, QUI VENAIT D'Y ÊTRE INCARCÉRÉ.
BON DIEU ! ILS ONT DÉJÀ TUÉ BRAM... !

CAMILLE EST MENACÉE !

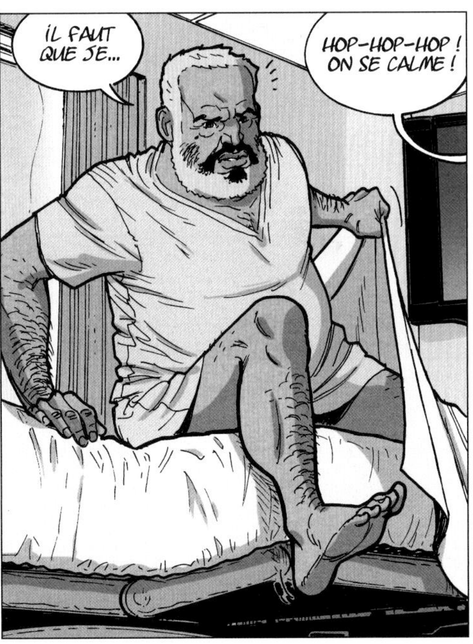
IL FAUT QUE JE...
HOP-HOP-HOP ! ON SE CALME !

RESTEZ TRANQUILLE !

JE VOULAIS ALLER AUX...
IL EST BIEN TROP TÔT POUR ESSAYER DE VOUS LEVER TOUT SEUL. ON VA FAIRE ÇA PROGRESSIVEMENT.

MON NOM EST DESMOND ! JE SUIS DE GARDE POUR CET ÉTAGE AUJOURD'HUI.
C'EST MOI QUI VAIS M'OCCUPER DE VOUS. N'HÉSITEZ PAS À UTILISER LE BOUTON D'APPEL.

ENCHANTÉ, DESMOND... APPELEZ-MOI DARIUS.

BRUXELLES, QUARTIER DES MAROLLES.
RESTE EN ARRIÈRE...

JE M'EN DOUTAIS. ILS SONT DÉJÀ LÀ...

CRAC

... LES ORDIS SONT ENCORE CHAUDS.

DAWSON, PAR ICI !

LÀ ! ELLE EST LÀ !

PAR ICI !

HÉ !?!

QU'EST-CE QUE... !?!

YOUNÈS ! SAUVE-MOI LA MISE ! LES TROIS TYPES DERRIÈRE NOUS !

VOUS VOUS CROYEZ OÙ ?!
SORTEZ DE LÀ !

HOLÀ ! LES EXCITÉS, Y RETOURNENT D'OÙ Y VIENNENT !

T'OCCUPE PAS DE... HOAW !!!

DES INDÉSIRABLES, ROMAIN ?
UN COUP DE MAIN ?

YOUNÈS EST BALÈZE. ON DEVRAIT AVOIR UN PEU DE RÉPIT...

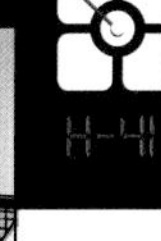

JOHANNESBURG, AÉROPORT INTERNATIONAL.
25 HEURES APRÈS LA MORT DE FOUAD.
... DE JUSTESSE OU NON, PEU M'IMPORTE, DAWSON !... JE NE FORME PAS DES COMMANDOS WINGUARD POUR QU'ILS SE FASSENT ROULER PAR DES GAMINES !

EN ATTENDANT QUE J'INTERVIENNE AVEC SPECTROGRAPHE ET MÉDIUM, LANCEZ UN PROTOCOLE D'IDENTIFICATION DE LA COMPLICE ET UNE SURVEILLANCE WINGUARD SUR LES AÉROPORTS ET LES GARES...
OUI, LA LOCALISATION FINE REPOSERA ENTIÈREMENT SUR CETTE FILLE DE BOMBAY. IL PARAÎT QU'ELLE EST EN VOL POUR LES BERMUDES, MAIS JE NE SERAI RASSURÉ QUE QUAND JE LA VERRAI...

J'AI HÂTE D'ARRIVER LÀ-BAS... WOODROW M'AFFIRME QU'ILS NE SONT POUR RIEN DANS LA MORT DE BRAM MANGOLD, MAIS ÇA SENT LE COUP TORDU... !
departures
time
gate

L.A., GOOD SAMARITAN HOSPITAL.
27 HEURES APRÈS LA MORT DE FOUAD.

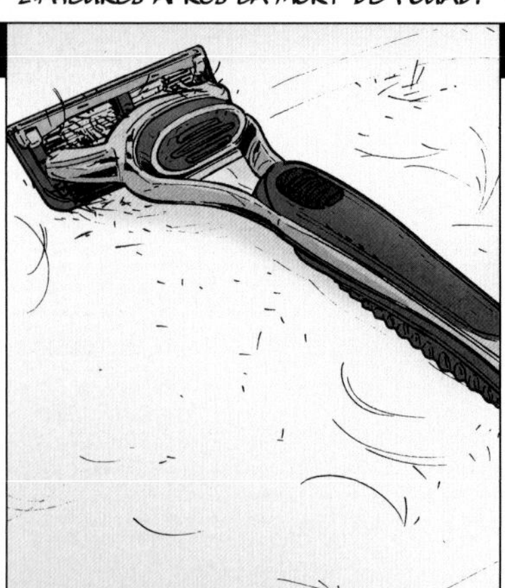

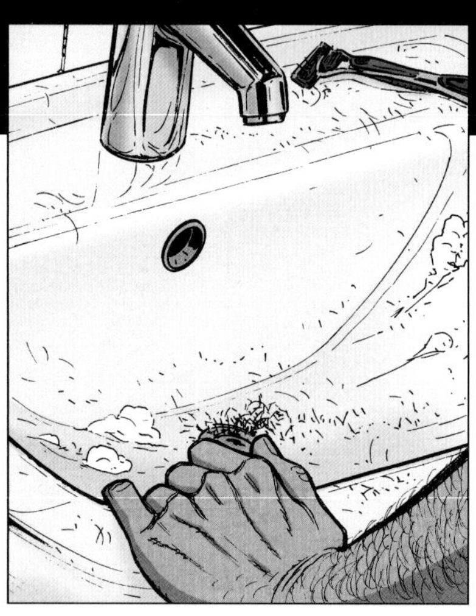

BELGIQUE, AUTOROUTE E42.

MEHDI A RÉCUPÉRÉ LE DOSSIER SUR MON SERVEUR FANTÔME AVANT SON AUTO-EFFACEMENT. SANS NOUVELLES DE NOUS, DANS 38 HEURES, IL BALANCE TOUT SUR INTERNET.
ET LÀ, TU FAIS QUOI ?

DEUX TEXTOS À LUI ENVOYER: UN POUR ANNULER ET L'AUTRE POUR LANCER IMMÉDIATEMENT LA DIVULGATION... MAIS ON A TORT D'ATTENDRE, CAMILLE ! ILS SONT SUR NOS TRACES...!
CLAC !
MA MÈRE FAISAIT CONFIANCE À MIRANDA GRYNSON. JE VEUX EN FAIRE AUTANT.

ET TOI, TU ES CERTAINE DE CE MEHDI ?...
C'EST UN POTE UN PEU HACKER, UN PEU NERD... ET UN PEU FOU, AUSSI. MAIS TOTALEMENT SÛR.

DIS DONC, FOUAD À JOHANNESBURG, YOUNÈS À LA FÊTE FORAINE, LA MOTO DE MBARK, LE HACKER MEHDI... TOUS TES POTES SONT ARABES !?

FAUT CROIRE...

BERMUDES, LA RÉSIDENCE.

1-36

LOS ANGELES, W. SLAUSON AVENUE.
30 HEURES APRÈS LA MORT DE FOUAD.

DAMN'! EXACTEMENT CE QUE JE CRAIGNAIS... YASHNA N'EST PLUS EN INDE !

D'APRÈS LE SIGNAL DE SON TRACEUR, ELLE DOIT ÊTRE DANS UN AVION POUR L'EUROPE... PROBABLEMENT VERS LONDRES....

BRAM TUÉ, YASHNA ENLEVÉE...
AUCUN DOUTE : CAMILLE EST DANS LE COLLIMATEUR !

QUEL EST LE PROCHAIN VOL POUR LONDRES QUE JE PUISSE ATTRAPER ?
MMH... PAS AVANT 22H30... ! ÇA ME LAISSE LE TEMPS DE VÉRIFIER QUE C'EST BIEN À LONDRES QU'ELLE VA ATTERRIR...

... ET D'ACHETER UNE TONNE D'ANTALGIQUES ! CETTE FOUTUE BLESSURE ME CISAILLE LE PLEXUS !

H-26

H-21

FORT MEADE, MARYLAND.
KLAK-KLAK !

DÉTACHEZ-LE. JE NE SUIS PAS DU GENRE À FRAPPER UN HOMME ATTACHÉ...

... OU À ATTAQUER PAR DERRIÈRE.

NOUS PARTONS ENSEMBLE POUR LES BERMUDES EN JET PRIVÉ. C'EST PAS BEAU, ÇA ?
MAIS AVANT CELA, MON NEZ A UN COMPTE À RÉGLER AVEC LE TIEN...

JE N'AIME PAS AVOIR DES DETTES !

H-16

BERMUDES, LA RÉSIDENCE.
50 HEURES APRÈS LA MORT DE FOUAD.
31

DOCTEUR, JE VOUS PRÉSENTE MITCH, UN DE MES SPÉCIALISTES DU SPECTROGRAPHE. JE L'AI EMBARQUÉ À LONDRES AVEC L'ENGIN.
L'INDIENNE EST BIEN ARRIVÉE ?

ELLE EST DÉJÀ SOUS PROTOCOLE.
PARFAIT. MITCH, COMBIEN DE TEMPS...?
UNE BONNE HEURE, MONSIEUR. LE TEMPS DE REMONTER ET D'INITIALISER L'APPAREIL.

PARDONNEZ-MOI...
BIIIP

OUI, ALLO ?
TRÈS BIEN. J'ARRIVE.

VOUS PERMETTEZ QUE JE VOUS ABANDONNE QUELQUES MINUTES ? BASIL VA MONTRER À MITCH OÙ VOUS INSTALLER.
DES NOUVELLES DE WOODROW ET JASON ?

ILS NE DEVRAIENT PAS TARDER. LE FILS DU PRÉSIDENT LES ACCOMPAGNE.

QUELLE PERTE DE TEMPS ! VENIR JUSQUE DANS CE TROU ALORS QUE CAMILLE EST PLUS QUE PROBABLEMENT EN BELGIQUE... MAIS C'EST LA SEULE MANIÈRE D'ÉVITER LES SOUPÇONS DE WOODROW.

AH...
32

... QUAND ON PARLE DU LOUP... !

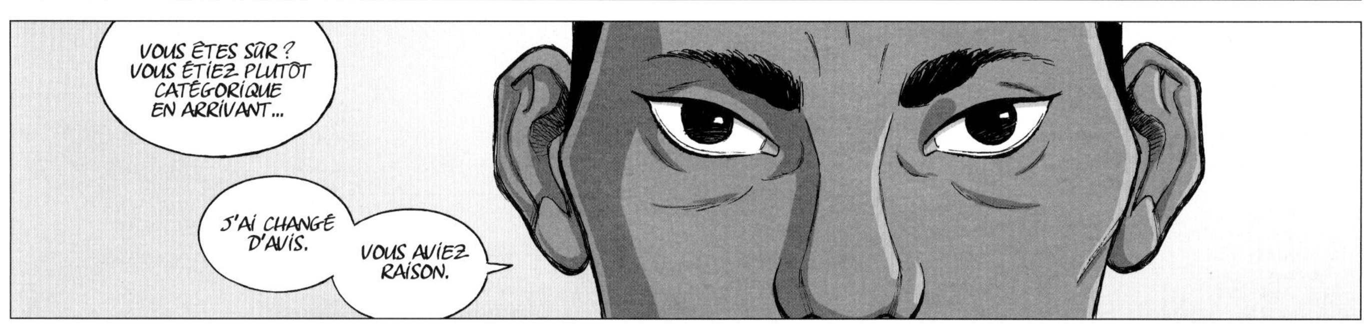
VOUS ÊTES SÛR ? VOUS ÉTIEZ PLUTÔT CATÉGORIQUE EN ARRIVANT...
J'AI CHANGÉ D'AVIS.
VOUS AVIEZ RAISON.

C'EST INVIVABLE...
VOUS AVEZ TOUT DE MÊME TENU PRESQUE TROIS JOURS... JE SUIS IMPRESSIONNÉ.

EUH... VOUS SAVEZ QUE L'ADDICTION EST RAPIDE ET PUISSANTE.
SI VOUS RECOMMENCEZ, CE SERA...

JE SAIS.

OK, ALORS.
ACCOMPAGNEZ-MOI À L'INFIRMERIE. STAN VA VOUS FAIRE L'INJECTION. DANS QUINZE MINUTES, VOUS SEREZ DANS L'INSOUCIANCE ...
33

ILS SONT DÉJÀ LÀ...?

TRÈS BIEN, J'ARRIVE IMMÉDIATEMENT.

STAN, TU PEUX T'OCCUPER DE MONSIEUR PARK, S'IL TE PLAÎT ? IL VA T'EXPLIQUER... MOI, JE DOIS VOUS LAISSER, J'AI UNE URGENCE !
PAS DE PROBLÈME, DOCTEUR !... VIENS, PARK, INSTALLE-TOI...

VOUS AVEZ FAIT BON VOL, MR MENDEZ ?
ÉPARGNEZ-MOI LES SALAMALECS, URASAWA !

JASON... ILS NE T'ONT PAS...
JE VAIS BIEN, MONSIEUR.

PANCINI ÉMIT TRÈS TÔT L'HYPOTHÈSE QUE LA PROLIFÉRATION ANARCHIQUE DE CELLULES, TYPIQUE DES TUMEURS, ÉTAIT DUE AU TRANSFERT DE BIOÉNERGIE DES ALTER EGO MORTS VERS LE SURVIVANT. EN EXPLORANT CETTE INTUITION, IL FIT UNE DÉCOUVERTE ENCORE PLUS AHURISSANTE...

LES ALTER EGO D'UNE MÊME ENTITÉ PRÉSENTENT UNE EMPREINTE GÉNÉTIQUE COMMUNE: UNE SÉQUENCE ADN IDENTIQUE QUI RENSEIGNE MÊME LA FORME ORIGINELLE DE L'ENTITÉ: DUADE, TRIADE... IL DEVENAIT DONC POSSIBLE D'IDENTIFIER SES ALTER EGO SANS RECOURIR AUX MÉDIUMS !

KAÏJI Y VIT AUSSITÔT LA SOLUTION POUR GÉRER LA DEMANDE AU MOMENT D'ANNONCER NOTRE DÉCOUVERTE...

CRÉER UNE BASE DE DONNÉES MONDIALE DES ADN QUI, COUPLÉE AU NANO-TRAÇAGE, PERMETTRAIT À CHACUN DE LOCALISER INSTANTANÉMENT SES ALTER EGO.

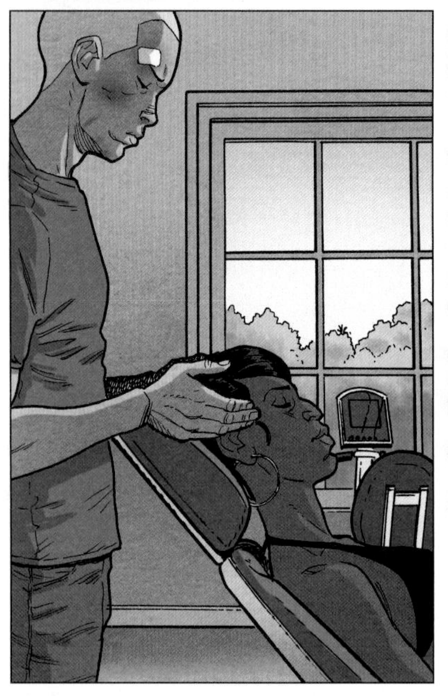

... C'EST FLOU, INDISTINCT...
JE CROIS SURTOUT QUE TU N'Y METS PAS BEAUCOUP DE BONNE VOLONTÉ... !

T'AS PAS INTÉRÊT À JOUER UN DOUBLE JEU AVEC NOUS, PETITE MERDE !
MONSIEUR, NE...

DOUCEMENT... NOUS N'ARRIVERONS À RIEN DE CETTE MANIÈRE, UN MÉDIUM A BESOIN DE SÉRÉNITÉ POUR SE CONCENTRER.
NOUS SOMMES TROP NOMBREUX. VOUS POURRIEZ NOUS LAISSER SEULS AVEC ELLE ?...

ACCORDÉ. MAIS RIDGEWAY RESTE AVEC VOUS. VOUS AVEZ UN QUART D'HEURE.

PENDANT CE TEMPS, DOCTEUR, INDIQUEZ-MOI DONC OÙ TROUVER ZELIA, MARINA ET PARK.

TU ES PRÊT ?...
ON PEUT Y ALLER ?...
CLAC

JE SAIS QUE TU ME DÉTESTES, JASON.

... JE SAIS QUE J'AURAI BEAU IMPLORER TON PARDON POUR CE QUE JE T'AI FAIT FAIRE, POUR CE QUE JE T'AI FAIT ENDURER ET POUR CE QUI EST ARRIVÉ À SUZANNE ET À JONAS, ÇA NE ME RENDRA PAS TA CONFIANCE.
POURTANT, NOUS AVONS IRRÉMÉDIABLEMENT BESOIN L'UN DE L'AUTRE.

IL FAUT RETROUVER CAMILLE LE PLUS RAPIDEMENT POSSIBLE... MAIS PAS POUR L'EMPÊCHER DE TOUT RÉVÉLER À LA PRESSE, COMME LE CRAIGNENT WOODROW ET MENDEZ...
AU CONTRAIRE, POUR LA POUSSER À LE FAIRE.
...?

JE VAIS CONVAINCRE CAMILLE DE RÉVÉLER UNIQUEMENT LES EXACTIONS DE LA NSA : LES ENLÈVEMENTS, LES SÉQUESTRATIONS, LA CAMISOLE CHIMIQUE...
BREF, FOCALISER LES MÉDIAS SUR LE SCANDALE DE CETTE RÉSIDENCE.

ILS SE JETTERONT AVEC DÉLECTATION SUR MENDEZ ET LA NSA.
VOUS CROYEZ QU'ILS SE LAISSERONT COULER SEULS ?! ILS NOUS IMPLIQUERONT !
POUR CELA, ILS DEVRONT ÉVOQUER LA THÉORIE DES ALTER EGO, MAIS SANS LES PREUVES DU SIMORG, PERSONNE NE VOUDRA LES CROIRE.

NOUS NIERONS TOUT, ILS SE RENDRONT RIDICULES, NOUS AURONS LES MAINS LIBRES.
LE VÉRITABLE SECRET DES ALTER EGO SERA PRÉSERVÉ.

ÇA NE MARCHERA JAMAIS...
C'EST LA SEULE CARTE À JOUER. POUR TOI, POUR MOI, POUR NOS AMIS DU SIMORG. JE NE VEUX PLUS QUE PERSONNE TRINQUE.

VOUS SAVEZ, JE NE VOIS RÉELLEMENT PAS GRAND-CHOSE. CAMILLE SEMBLE QUELQUE PART DANS UN LIEU MAL ÉCLAIRÉ, TRÈS EXIGU, UNE PIÈCE NON IDENTIFIABLE...
DÉSOLÉ...

ALORS ? VA-T-ON ENFIN PASSER AUX CHOSES SÉRIEUSES ?

BONJOUR...
HELLO !
HA HA ! EXCUSEZ MES ALTER EGO, ILS SONT TRÈS EXPANSIFS ET AFFECTUEUX... COMME MOI !

NON, AUCUN INDICE SUR LE LIEU EXACT, MALHEUREU-SEMENT...
ET JE PENSE QU'IL EST SINCÈRE...

BIENVENUE, CHER MONSIEUR !

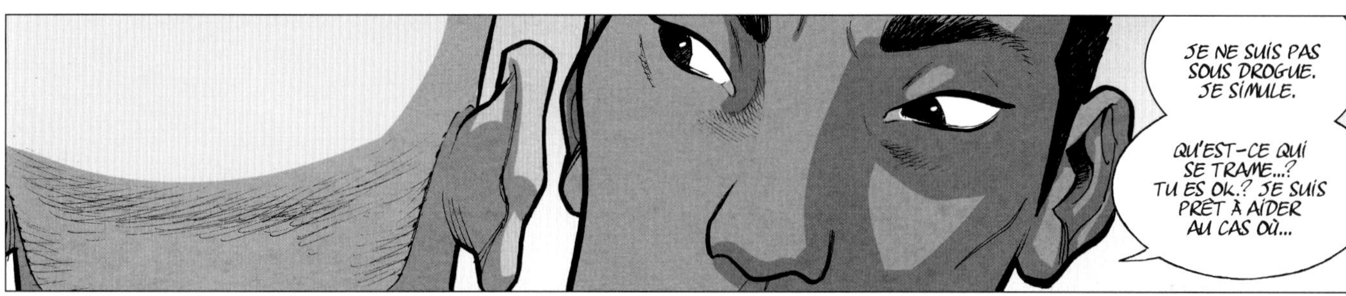
JE NE SUIS PAS SOUS DROGUE. JE SIMULE.
QU'EST-CE QUI SE TRAME...? TU ES OK.? JE SUIS PRÊT À AIDER AU CAS OÙ...

C'EST EN EUROPE... LE NORD DE LA FRANCE OU...
... LA BELGIQUE, ÉVIDEMMENT !

LE PAYS D'ORIGINE DE CHAÏB... ON AURAIT DÛ S'EN DOUTER.
BELGIUM
BERMUDA

BELGIQUE, RIVES DE L'OURTHE.
VOILÀ, JE SUIS PRÊTE... !

TU... TU ES SÛRE ?

JE NE VEUX PAS PRENDRE DE RISQUE. MALGRÉ MES PRÉCAUTIONS, ILS M'ONT PEUT-ÊTRE IDENTIFIÉE.
MAIS... JE VAIS TE FAIRE MAL...

FOUAD N'A PAS HÉSITÉ À LE FAIRE, LUI... ET ÇA ME GAVE DE TRIMBALLER CE TRUC.

SERRE LES DENTS...
ESSAIE SURTOUT DE FAIRE VITE... PAS BESOIN D'ALLER TRÈS PROFOND.

... JE ME PORTE PERSONNELLEMENT GARANT DE JASON OWL. IL M'A CERTIFIÉ SA PLEINE COLLABORATION À L'OPÉRATION.

... ET QUI SE PORTE GARANT DE VOUS ?
NOUS SOMMES DANS LE MÊME BATEAU, MONSIEUR. NOUS AVONS TOUS INTÉRÊT À ÉTOUFFER CETTE AFFAIRE...

C'EST UNE ÉVIDENCE... DONC, JE RÉCAPITULE, MR URASAWA. DANS QUARANTE MINUTES, VOUS, LE MÉDIUM, LA JEUNE FILLE ET VOTRE TECHNICIEN EMBARQUEZ DANS NOTRE JET EN DIRECTION DE LA BELGIQUE.

UNE ESCOUADE DE TROIS DE NOS HOMMES, DIRIGÉE PAR L'OFFICIER RIDGEWAY ICI PRÉSENT, VOUS ACCOMPAGNE. OBJECTIF: LOCALISER AU PLUS VITE LES TERRORISTES QUI ONT KIDNAPPÉ MISS ROCHANT.

UNE FOIS SUR PLACE, RIDGEWAY, VOUS ÉVALUEZ SI VOUS POUVEZ INTERVENIR DIRECTEMENT OU SI DES RENFORTS S'IMPOSENT. TOUT EST CLAIR...?

LONDRES, AÉROPORT DE HEATHROW.
OH NON !

AUX BERMUDES, À PRÉSENT...! ILS LUI FONT FAIRE LE TOUR DU MONDE OU QUOI !?

BERMUDES, HAMILTON AIRPORT.
53 HEURES APRÈS LA MORT DE FOUAD.
VOILÀ, MONSIEUR, LA JEUNE FILLE EST INSTALLÉE.
PARFAIT ...

DÈS QUE NOUS AURONS EMBARQUÉ VOTRE APPAREIL, NOUS POURRONS...
HÉ !

MAIS !?!...

(suite de l'image 2)

QUOI ENCORE ?
JE DOIS VOUS VOIR IMMÉ-DIATEMENT...!

MON ÉQUIPE DE JOHANNESBURG VIENT DE ME COMMUNIQUER UNE INFO CRUCIALE, DÉCOUVERTE DANS LES PROCÈS-VERBAUX DE LA POLICE SUD-AFRICAINE : LE TERRORISTE FOUAD CHAÏB ÉTAIT EN CONTACT PERMANENT AVEC UN COMPLICE QUI A PU ENREGISTRER TOUTES LES CONVER-SATIONS.

URASAWA ÉTAIT AU COURANT DEPUIS LE DÉBUT ET IL NOUS A CACHÉ CETTE INFO.
DAMN' ! IL A EU DEUX JOURS POUR REMONTER LA LIAISON ET DÉCOUVRIR L'ENDROIT D'OÙ LES TERRORISTES AGISSENT...

DONC, S'IL EST VENU ICI, C'EST POUR...
... RÉCUPÉRER SON MÉDIUM ET PRENDRE L'INDIENNE !

IL NE FAUT PAS QU'ILS DÉCOLLENT ! JE FAIS MAINTENIR L'AVION AU SOL.

KRRR... AGENT RIDGEWAY ?
KRRR... ICI WOODROW !

ALLO DELTA-TANGO, ICI WALT WOODROW, RÉPONDEZ, BON SANG !

AGENT RIDGEWAY, RÉPONDEZ !...

43

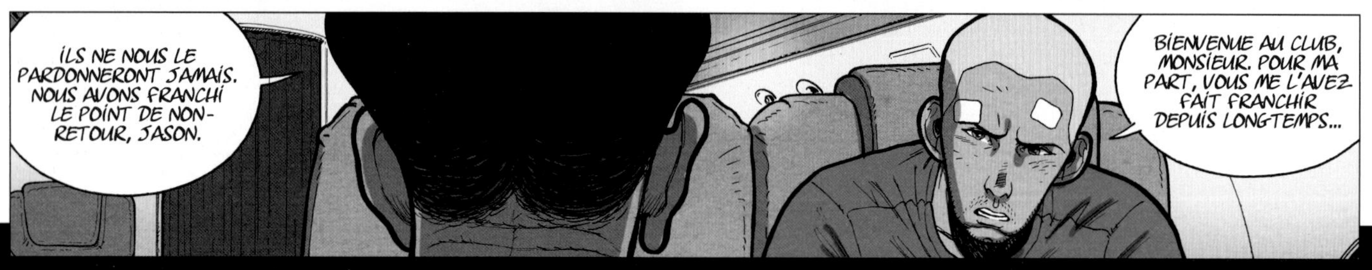

USA, VIRGINIE, BASE MILITAIRE DE LANGLEY. 56 HEURES APRÈS LA MORT DE FOUAD.

BERMUDES, PARC DE LA RÉSIDENCE.

TOUJOURS RIEN ?
NON, MONSIEUR. DÉSOLÉ...

FUCK ! C'EST PAS VRAI ! ON S'EST FAIT AVOIR PAR CETTE POURRITURE DE JAPONAIS !
CRAC

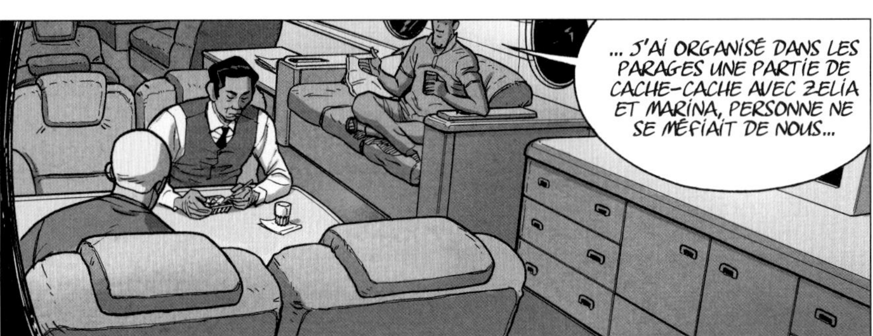
... J'AI ORGANISÉ DANS LES PARAGES UNE PARTIE DE CACHE-CACHE AVEC ZELIA ET MARINA, PERSONNE NE SE MÉFIAIT DE NOUS...

ET APRÈS QU'ILS ONT RAMENÉ LES DEUX PREMIÈRES MALLES, J'AI VU UN CRÉNEAU ET J'AI PROPOSÉ AUX FILLES QU'ON SE CACHE DANS LA CAMIONNETTE ET QU'ON Y RESTE JUSQU'À CE QU'ON NOUS DÉCOUVRE...

ET DÉSORMAIS, NOUS DISPOSONS D'UNE ARME DE DISSUASION MASSIVE: LA TOTALITÉ DES ALTER EGO DE MR NOAH MENDEZ.
À CE PROPOS, MONSIEUR...

IL EST GRAND TEMPS QUE VOUS APPELIEZ VOS HOMMES DE LA WINGUARD POUR PRÉPARER NOTRE ARRIVÉE EN BELGIQUE...

BERMUDES, LA RÉSIDENCE.

BRUSSELS SOUTH-CHARLEROI AIRPORT.
62 HEURES APRÈS LA MORT DE FOUAD.

ÇA VA ALLER, LES FILLES...
UN DERNIER MAUVAIS MOMENT À PASSER... NOUS SOMMES LIBRES, MAINTENANT.

METTEZ-LES À L'ABRI, DAWSON, ET PRENEZ-EN SOIN LE TEMPS DE LEUR SEVRAGE...
OK. ET ENSUITE...?

DITES-LUI CE QUE NOUS AVONS CONVENU.
... EH BIEN... D'ICI QUELQUES JOURS, VOUS LEUR PROCUREREZ DES PAPIERS EN RÈGLE, DE L'ARGENT ET VOUS LEUR RENDREZ LA LIBERTÉ.

J'AI TOUJOURS REDOUTÉ LES RISQUES DE DÉRIVES. MAIS LA WINGUARD EST UNE SOURCE DE FINANCEMENT IMPORTANTE POUR NOS RECHERCHES.

UN PEU LÂCHEMENT PEUT-ÊTRE, J'AI LAISSÉ KAÏJI GÉRER TOUT CET ASPECT. C'EST UN HOMME INTELLIGENT ET VISIONNAIRE, UN VRAI GÉNIE DANS SON GENRE. J'AI UNE VRAIE TENDRESSE POUR LUI, MAIS CES DERNIERS TEMPS, JE LE TROUVE PLUS SECRET QUE JAMAIS...

J'AI PEUR, CAMILLE. PEUR D'AVOIR TROP FAIT CONFIANCE.
PEUR D'AVOIR FAIT LES MAUVAIS CHOIX...

FAITES TOUT CE QUE CET HOMME VOUS DIRA DE FAIRE.
BIEN, MONSIEUR.

JASON... QUAND TOUT CECI SERA TERMINÉ, N'OUBLIE PAS QU'IL Y A UNE MAISON À JEJU-DO OÙ TU SERAS ÉTERNELLEMENT LE BIENVENU !

C'EST UNE ERREUR. NOUS DEVRIONS LES GARDER SOUS LA MAIN EN CAS DE...
CETTE DISCUSSION EST CLOSE, MONSIEUR. MES CONDITIONS SONT NON NÉGOCIABLES...

ALLONGE-TOI DANS L'APPAREIL... CELA NE DURERA PAS...
QU'ALLEZ-VOUS FAIRE DE MOI ?
NE T'INQUIÈTE PAS... UNE SIMPLE MESURE, COMME À LA RÉSIDENCE...

QUELLE RÉSIDENCE ?... DE QUOI PARLEZ-VOUS ?

J'AI UN SIGNAL. ON PEUT Y ALLER.

LONDRES, AÉROPORT D'HEATHROW.
MAIS, MONSIEUR, ON N'ANNULE PAS UNE RÉSERVATION UNE HEURE AVANT L'EMBARQUEMENT !
DANS CE CAS, DONNEZ-LA À QUI VOUS VOUDREZ...

ET TROUVEZ-MOI UNE PLACE DANS LE PROCHAIN AVION POUR BRUXELLES.
BRUXELLES ? C'EST MOINS SEXY QUE LES BERMUDES... VOUS NE CHANGEREZ PLUS D'AVIS ?

QUI SAIT ?... POSEZ LA QUESTION À MA BOUSSOLE MAGIQUE.
VOUS ÊTES UN MARRANT, VOUS... VOICI VOTRE CARTE...

ET VOTRE BILLET.
DÉPÊCHEZ-VOUS, L'ENREGISTREMENT SE CLÔTURE DANS QUELQUES MINUTES.

ON L'A LOCALISÉE À UN ENDROIT APPELÉ ESNEUX... À UNE CENTAINE DE KILOMÈTRES...

TU N'Y ARRIVERAS JAMAIS, KAÏJI ! IL RESTE À PEINE TROIS HEURES ! JE VAIS CONVOQUER LA PRESSE, NOUS DEVONS ABSOLUMENT COMMUNIQUER AVANT QUE...

C'EST JOUABLE, MA DOUCE, FAIS-MOI CONFIANCE.

OÙ M'EMMENEZ-VOUS ENCORE ?
NOUS ALLONS VOIR CAMILLE ROCHANT, UNE AMIE...

CAMILLE ROCHANT !?... JE LA CONNAIS...
VOUS AVEZ RENCONTRÉ CAMILLE ?

ELLE EST VENUE ME VOIR À BOMBAY, APRÈS LE DÉCÈS DE SA MÈRE.
MAIS... ELLE SAIT DONC QUE...
POUR VOUS ET ELLE... ?!

PEU IMPORTE. C'EST PARFAIT. LE CONTACT NE POURRA QU'EN ÊTRE FACILITÉ.
MITCH, QUAND L'ENGIN SERA REPLIÉ ET CHARGÉ DANS LE VAN, VOUS NOUS REJOIGNEZ ! NOUS, ON FONCE !

WASHINGTON.
ES-TU SÛR DE CE QUE TU FAIS ?

CETTE PRÉCIPITATION M'INQUIÈTE. ICI, J'AI MIS SUR PIED DE GUERRE TOUS MES RÉDACTEURS ET TOUT LE SERVICE JURIDIQUE. NOUS ÉLABORONS UNE DÉFENSE PRÉVENTIVE...
PAPA !

SOIS LUCIDE ! EN CAS DE DIVULGATION, ON VA AU CRASH FRONTAL ! IL FAUDRA NIER EN BLOC !

ET POUR CELA, IL NE DOIT RESTER AUCUNE TRACE...
NOAH, JE M'EN VEUX DE T'AVOIR CONFIÉ CETTE RESPONSABILITÉ. C'EST TRÈS LOURD POUR TOI ET...

NE T'EN FAIS PAS, PAPA, JE NE TE DÉCEVRAI PAS.
50

VROUF

C'EST BIEN BEAU DE FAIRE DE LA PLACE POUR LES HÉLICOPTÈRES...

MAIS AVEC LE VENT QUI GROSSIT D'HEURE EN HEURE...

ÇA RISQUE D'ÊTRE CHAUD POUR DÉCOLLER...

BELGIQUE, BORDS DE L'OURTHE, 64 HEURES APRÈS LA MORT DE FOUAD.
PARTIR ? ENCORE ?!

H-2

ÇA PUE, CAMILLE ! L'ULTIMATUM EXPIRE DANS MOINS DE DEUX HEURES ET TOUJOURS RIEN. FAUT DÉGAGER D'ICI !

TA MILLIARDAIRE SE FICHE DE TOI. ILS METTENT LE DÉLAI À PROFIT POUR ORGANISER LA RIPOSTE.
ON DOIT LANCER L'AFFAIRE MAINTE-NANT. SANS ATTENDRE.

NON.
CAMILLE...

MA MÈRE NE PEUT PAS S'ÊTRE TROMPÉE À CE POINT-LÀ !

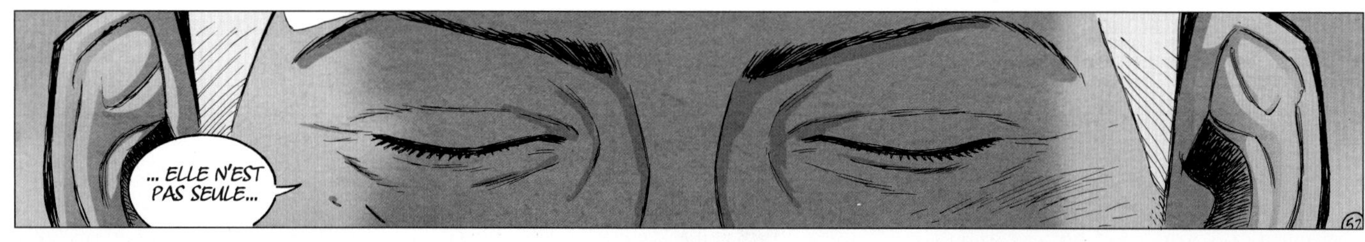
... ELLE N'EST PAS SEULE...

MAIS L'AUTRE NE SEMBLE PAS UNE MENACE...

ELLES SONT TOUJOURS DANS CETTE PETITE PIÈCE... UNE PETITE MAISON, SANS DOUTE...
MAIS TOUJOURS AUCUN INDICE CLAIR...

... NOUS AVONS LOCALISÉ L'AVION, EN BELGIQUE, SUR UN AÉROPORT SECONDAIRE. UNE ÉQUIPE EST EN ROUTE.
À MON AVIS, VOUS ARRIVEREZ TROP TARD...

TOUT EST LÀ ?
ABSOLUMENT TOUT, MONSIEUR.

MAIS DANS TOUS LES CAS, N'ALLEZ PAS JOUER LES BARBOUZES ! PRÉSERVEZ MES ALTER EGO !
BIEN ENTENDU.

TOUT LE MONDE A QUITTÉ LES LIEUX ?
ILS SONT TOUS DANS LE PARC, MONSIEUR. À PART NOUS, LE BÂTIMENT EST VIDE. QUAND VOUS VOULEZ, JE...

JE VAIS LE FAIRE MOI-MÊME.
MAINTENANT.

MONSIEUR, JE...
JE NE LAISSERAI CETTE RESPONSABILITÉ À PERSONNE, WOODROW.

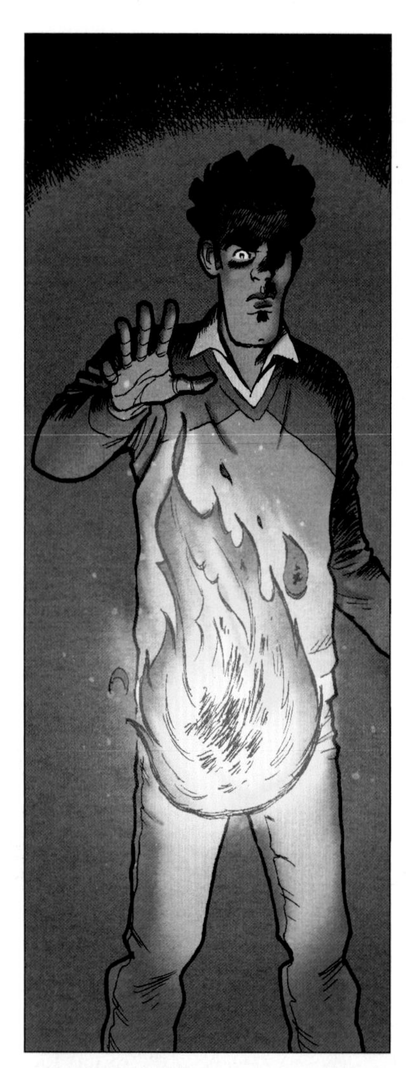

WHOOSH

ZAVENTEM, BRUSSELS AIRPORT.
VOUS PRENEZ LES CARTES DE CRÉDIT ?
BIEN ENTENDU...

TRÈS BIEN. PRENEZ LA DIRECTION DE... LIÈGE.
QUELLE SERA LA DESTINATION FINALE, MONSIEUR ?

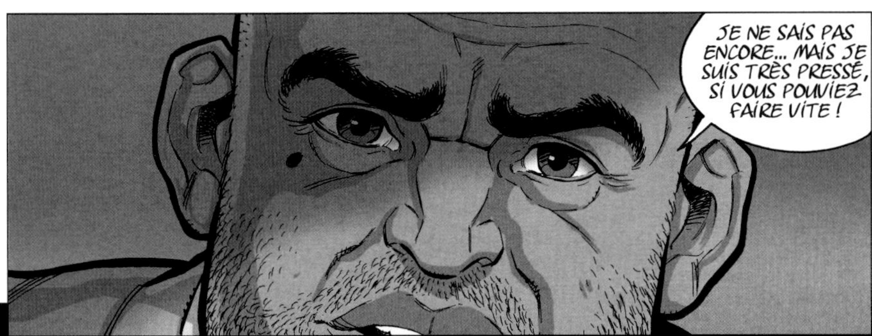
JE NE SAIS PAS ENCORE... MAIS JE SUIS TRÈS PRESSÉ, SI VOUS POUVIEZ FAIRE VITE !

IL EST HORS DE QUESTION DE DÉCOLLER PAR CE TEMPS ! DÉJÀ À VIDE, NOUS AVONS EU LES PIRES DIFFICULTÉS À...
REGARDEZ LE BÂTIMENT !

DANS PEU DE TEMPS, IL SERA LA PROIE DES FLAMMES. NOUS NE POUVONS PAS RESTER ICI !

D'ACCORD... EMBARQUEZ TOUT LE MONDE, ILS SERONT À L'ABRI. MAIS NOUS NE DÉCOLLERONS QUE SI LE VENT SE CALME !

AH, ELLES VIENNENT DE SORTIR... JE VOIS... C'EST... UNE BARAQUE DANS UNE SORTE DE CAMPING RÉSIDENTIEL.

CE DOIT-ÊTRE CET ENDROIT, LÀ-BAS, LE LONG DE LA RIVIÈRE.
VITE ! ELLES ONT LEURS SACS ET SE DIRIGENT VERS UNE MOTO. ELLES S'EN VONT !

... MON PÈRE EST ORIGINAIRE DE B'AQÛBA, IL EST ARRIVÉ À LONDRES EN 1955.
MOI, MES PARENTS SONT VENUS ICI EN 68, DE SHIRAZ.

DIS DONC, ROSTAM, TU FAIS AUSSI TAXI DE NUIT ?
IL FAUT BIEN FAIRE VIVRE LA FAMILLE, MON FRÈRE.

ET EN CAS DE COUP DUR, TU TE PROTÈGES COMMENT ? TU AS UNE ARME ?

... IL FAUT DÉCOLLER... ÇA DEVIENT DANGEREUX DE RESTER...
AVEC CETTE TEMPÊTE !?!... C'EST DE LA FOLIE !...

KABOOM

PANG
PAK
PANG

JE NE SAIS PAS...
JE NE SAIS PLUS...
LAISSE-MOI ENVOYER LE SIGNAL À MEHDI.

LÀ... ELLES SONT LÀ !

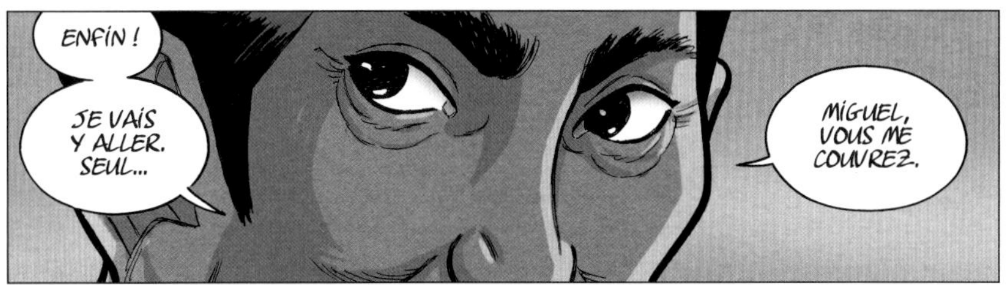
ENFIN !
JE VAIS Y ALLER. SEUL...
MIGUEL, VOUS ME COUVREZ.

NON ! NE FAITES PAS DE MAL À CAMILLE ! LAISSEZ-MOI LA...
CALMEZ-VOUS, YASHNA ! IL NE LUI VEUT AUCUN MAL...

TAXI
STOP ! ON Y EST ! JE DESCENDS ICI !
1-RSB-179

PAS BESOIN DE M'ATTENDRE, ROSTAM... MILLE MERCIS !
FAIS ATTENTION À TOI, FRÈRE.

... ILS ONT TUÉ TA MÈRE, ILS ONT TUÉ FOUAD, RIEN NE LES ARRÊTERA !
LE BUSINESS AUTOUR DES ALTER EGO EST BIEN TROP JUTEUX...

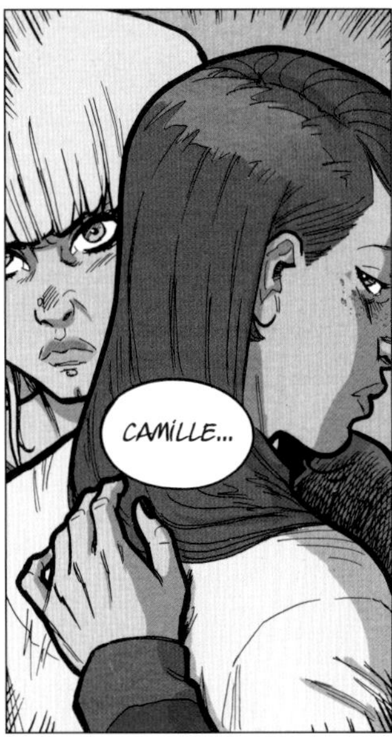
CAMILLE...

JE VIENS POUR TE PARLER...
JE SUIS SEUL...
N'APPROCHEZ PAS !

... CE N'EST PLUS POSSIBLE, IL FAUT DÉCOLLER ! SAM EN PREMIER, JE SUIS EN SECOND. PAT, TU FERMES LA MARCHE, TU ES LE PLUS ÉLOIGNÉ DE CETTE FOURNAISE. OVER.

CAMILLE, ÉCOUTE-MOI. JE SUIS DE TON CÔTÉ. JE SUIS D'ACCORD POUR DIVULGUER LA VÉRITÉ.
NE BOUGEZ PAS !

J'AI MES TORTS DANS CETTE AFFAIRE, MAIS J'AI SURTOUT ÉTÉ MANIPULÉ...

MAIS... ! QU'EST-CE QUE ... !?!...

QUE FAITES-VOUS ? IL A DIT DE...
IL Y A UN TYPE LOUCHE, LÀ-DERRIÈRE, JE N'AIME PAS ÇA...
CD 542D

... NE L'ÉCOUTE PAS. CE TYPE EST UN CRIMINEL.
UN MOT DE PLUS ET J'ENVOIE LE SIGNAL !
VOUS VOUS MÉPRENEZ, JE...
MIEP, LAISSE-LE PARLER !

IL FAUT S'ATTAQUER AUX VRAIS COUPABLES ! LAISSEZ-MOI VOUS...

BOOM !
BOOM !

BLING !

KRASH

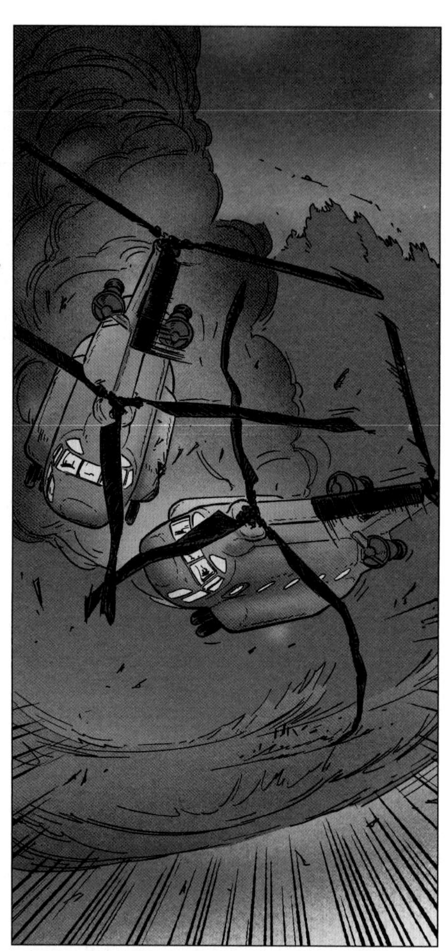

BOOM
BOOM

CAMILLE ! COUCHE-TOI ! AU SOL !

PAW
PAW

PAW
PAW
PAW

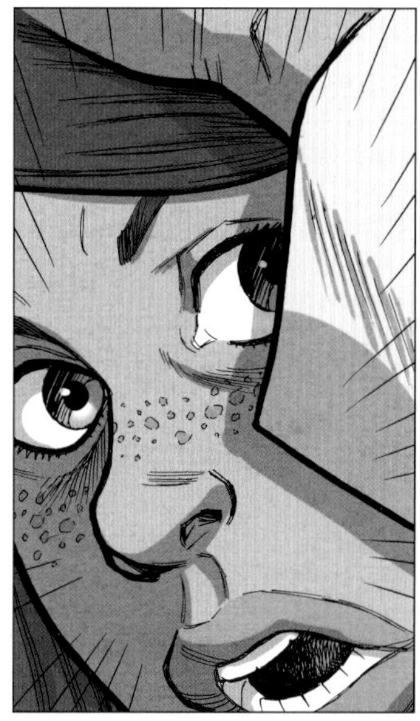

NOOOOONNN

... TOUS...
TOUS LES ALTER EGO DE...
MES SOEURS, MON NEVEU... MON PÈRE...
TOUS...

message envoyé

62° Washington, DC
Edition: U.S.
Regional
Wisconsin
Miley Cyrus
PDG de la U-Tech entre la vie et la mort.
S'il assiste un jour à son procès, ce sera, dans le meilleur des cas, en chaise roulante.
Gravement touché à la moelle épinière lors de la fusillade en Belgique, l'empereur de la technologie Kaiji Urasawa est toujours dans un état critique. Au service de neurologie de Hôpital Erasme à Bruxelles, les
Search for people, places and
Update Status
Add Photo / Video
Ask
What's on your mind?
Axel Forget and 12 others shared a link
LA CHAMPIONNE DU CHARITY BUSINESS DANS L'OEIL DU CYCLON
Face aux accusations qui vise la HWC, la milliardaire Miranda Grynson se tait dans toutes les langues.
zanne Rochant confession (no fake)
1:27/6:37
Ajouter à
Partager
84.857.457 vues
confession hallucinante qui fait tour du monde ! O_o' !!!
en association avec le Groupe Le Monde
Rechercher sur le HuffPost
INTERNATIONAL
CULTURE
TECHNO
Justice • Santé • Élections Américaines • Répression en Syrie • Facebook
Entrez votre adresse email
Les survivants de la Résidence contre-attaquent !
L'avocate Delia Mikulski, fer de lance du combat pour les libertés individuelles, défendra les séquestrés des Berm
Tweets
1,101 FOLLOWERS
Aurore Peignois
Président Mendez déclare: «Je m'engage à ce que toute la clarté soit faite sur cette affaire» #politicaffair
Ternezo
un Alter Egal, des Alter Ego ? #lol #politicaffair
Rue89
Témoignage: «J'ai été victime de l'arnaque aux #AlterEgo» les pièges à éviter bit.ly/uiYmk
BenBen
il habitait mon quartier !!! RT @benoitbk #Utech #HWC #Winguard #AE, un bruxellois savait tout
Cédric Michiels
Super #video qui montre les connexions de la société #WW2A #politicaffair http://bit.ly/MlxT5E
Antoine Bauza
Fabrication du protoype du jeu #AlterEgo #j2s
Stéphane Girardot
J'ai rencontré mon #AlterEgo !!! Elle est woaw !
News Sport Comment Culture Business Money Life & style
News UK World Development US Politics Media Education
reaking news:
L'ANGE GARDIEN REJOINT LES SIENS.
Le corps de Darius Satrapi, garde du corps (et des âmes...!) de Camille Rochant, a été rapatrié à Londres où il sera inhumé
Rappelons que cet ancien officier de police britannique avait quitté ses fonctions suite à un drame personnel: la mort accidentelle de son épouse et de son fils. Il semblerait qu'ensuite, il ait proposé ses services à la mystérieuse organisation WINGUARD dont
THE WALL STREET JOURNAL.
Today's Paper • Video • Blogs • Emails
World • Europe • U.K. • U.S. • Business • Markets
LATEST HEADLINES
WSJ: RIM's New BlackBerry 10: P
TOUJOURS SANS NOUVELLES DU FILS DU PRESIDENT MENDEZ.
A-t-il disparu dans la tragédie des Bermudes? Son corps n'a toujours pas été identifié parmi les 29 victimes.
Premier site d'informations en Belgique francophone
actu
sports
culture
économie
belgique
france
monde
régions
«Je dirai tout et j'assumerai toutes les conséquences.» (Jason Owl)
recherche
Tous connectés ?
par Myself
4 670 391 vues
Ajouter à
Partager
Tweeter
La plus grosse supercherie du siècle, une théorie complètement fumeuse